Tudur Budr

CRASH!

...du erbyn
...ur uchod.

I Isabelle, dyma lyfr arall
ar gyfer y casgliad ~ D R
I Riley, sydd wrth ei fodd
â'r llyfrau i gyd ~ A M

Cyhoeddwyd yn 2014 gan Stripes Publishing,
argraffnod Magi Publications, 1 The Coda Centre,
189 Munster Road, Llundain SW6 6AW

Teitl gwreiddiol: *Dirty Bertie – Smash!*

Cyhoeddwyd yn Gymraeg yn 2015 gan
Wasg Gomer, Llandysul, Ceredigion SA44 4JL
www.gomer.co.uk

ISBN 978 1 84851 996 1

Dymuna'r cyhoeddwyr gydnabod cymorth ariannol
Cyngor Llyfrau Cymru.

Argraffwydra rhwymwyd yng Nghymru gan
Wasg Gomer, Llandysul, Ceredigion SA44 4JL.

Tudur Budr

Budr

CRASH!

DAVID ROBERTS . ALAN MACDONALD
Addasiad Gwenno Mair Davies

Gomer

Casglwch lyfrau
Tudur Budr i gyd!

Cynnwys

PENNOD 1

Roedd Tudur a'i ffrindiau wrthi'n chwarae
pêl-droed yn yr ardd gefn. Tudur oedd yn
sylwebu ar y gêm, fel arfer. 'Tudur sydd â'r
meddiant,' bloeddiodd. 'Mae'n mynd heibio i
Darren – gwych iawn – mae'n dod at
y gôl . . . mae'n rhaid iddo sgorio!'

CLEC!

Chwibanodd y bêl dros ben Eifion a thros
y ffens . . .

Tudur Budr

CRASH!

Rhoddodd Tudur ei ben yn ei ddwylo.

'Y ffŵl!' cwynodd Darren. 'Pam wnest ti hynny?'

Draw â nhw at y ffens a sbecian drwy hollt ynddi. Ym mhen draw'r ardd roedd tŷ gwydr y teulu Melys. Roedd twll mawr yn un o'r ffenestri.

'O diar! Edrych beth wyt ti wedi'i wneud!' meddai Eifion.

'Pam na wnest ti ei dal hi?' cwynodd Tudur.

'Roedd hi filltiroedd uwchben y bar – nid Superted ydw i!' meddai Eifion.

'Beth bynnag, doedd hi ddim yn gôl,' meddai Darren. 'Ac felly mae'n 2–1 i mi o hyd.'

'Anghofia am hynny!' meddai Tudur.

Tudur Budr

'Beth wnawn ni? Mi fydd Mrs Melys yn gandryll o weld y ffenest.'

Ysgydwodd Eifion ei ben. '*Ddywedais i mai'r parc oedd y lle gorau i chwarae.*'

Doedd Tudur ddim yn credu bod ei ffrindiau wedi sylweddoli pa mor ddifrifol oedd y sefyllfa. Nid unrhyw hen ffenest roedden nhw wedi torri. Roedd y tŷ gwydr yn newydd sbon ac roedd gan Mrs Melys feddwl mawr ohono. Roedd hi byth a beunydd yn treulio amser yno'n plannu neu'n potio neu beth bynnag roedd pobl yn ei wneud mewn tai gwydr.

I wneud pethau'n gan gwaith gwaeth, roedd Tudur eisoes mewn tipyn o ddŵr poeth gyda Mrs Melys. Yr wythnos ddiwethaf roedd Chwiffiwr wedi gadael anrheg

Tudur Budr

ddrewllyd yng nghanol lawnt yr ardd drws nesaf a doedd o ddim eisiau meddwl beth fyddai'n digwydd petai hi'n gweld y twll yn y ffenest. Byddai ei sgrech i'w chlywed o ben draw'r byd. Byddai hi'n curo ar ddrws ei dŷ mewn dim o dro, yn mynnu gweld ei rieni. Byddai chwarae pêl-droed yn cael ei wahardd o'r ardd ac yntau'n debygol o fod yn talu am y difrod am y chwe blynedd nesaf.

Cymerodd gipolwg i gyfeiriad y tŷ. Doedd hi ddim yn edrych yn debyg fod neb wedi clywed y gwydr yn torri. *Allai neb brofi mai fi wnaeth*, tybiodd Tudur. Yna cofiodd am y bêl. Y funud y byddai Mrs Melys yn ei gweld hi, byddai'n siŵr o sylweddoli pwy oedd yn gyfrifol. Mr Mynach oedd yr unig gymydog arall oedd ganddi, ac roedd Tudur yn ddigon siŵr fod hwnnw'n edrych yn rhy flin i fod wedi cicio pêl erioed yn ei fywyd.

'Bydd hi'n ein lladd ni!' ebychodd Tudur.

'Bydd hi'n dy ladd *di*, wyt ti'n feddwl,' cywirodd Darren ei ffrind.

'Mae'n rhaid i ni gael y bêl 'nôl,' meddai Tudur.

'Syniad da,' meddai Eifion. 'Cer di.'

'FI?' meddai Tudur.

'*Ti* giciodd hi dros y ffens!' meddai Eifion.

'Ie, ond roedd pawb yn chwarae,' mynnodd Tudur. 'Gallai fod wedi digwydd i unrhyw un.'

'Ond wnaeth o ddim. Ti wnaeth,' meddai Darren.

Doedd Tudur ddim yn deall pam mai *fo* ddylai beryglu ei fywyd. Roedd Mrs Melys yn gwybod lle roedd yn byw. Oherwydd hynny, byddai'n gwneud mwy o synnwyr o lawer i Darren neu Eifion fynd.

12

Tudur Budr

'Pen neu gynffon?' gofynnodd wrth iddo estyn i'w boced am geiniog.

'Paid! Dw i ddim am fynd,' meddai Darren. 'Dw i wedi clywed Mrs Melys yn gweiddi.'

'Paid edrych arna i,' meddai Eifion. 'Ro'n i eisiau chwarae yn y parc.'

Ochneidiodd Tudur. Dyna brofi'r pwynt – o gicio pêl drwy ffenest tŷ gwydr, roeddech chi ar eich pen eich hun.

Aeth at y ffens a syllu ar yr ardd drws nesaf. Doedd Mr Melys ddim yn cyrraedd adre tan yn hwyr, ond gallai Arianrhod a'i mam fod gartref. Er mwyn cyrraedd y tŷ gwydr, byddai'n rhaid iddo groesi'r lawnt gan osgoi'r larwm lladron. Beth petai hwnnw'n canu wrth iddo roi ei droed ar y borfa?

PENNOD 2

Wrth iddo ystyried beth fyddai'r peth
gorau i'w wneud, daeth Chwiffiwr i'r golwg.
Cerddodd ar drot at Tudur a llyfu ei law.

'Paid, Chwiffiwr, dwi'n brysur,' ochneidiodd
Tudur. Yna, cafodd syniad – syniad fyddai'n
siŵr o achub y dydd! 'Gall Chwiffiwr fynd!'

Rhythodd y ddau arall arno'n syn.

'Mynd i ble?' gofynnodd Darren.

Tudur Budr

'Drws nesa, y lembo! Gall Chwiffiwr nôl y bêl!'

Edrych ar ei gilydd wnaeth Darren ac Eifion. Gallai rhai cŵn wneud triciau anhygoel, ond sôn am Chwiffiwr roedden nhw.

'Dwyt ti ddim o ddifri?' holodd Darren. 'Fedri di ddim hyd yn oed ei gael i orwedd i lawr!'

Roedd yn rhaid i Tudur gyfaddef fod hyn yn wir. Fis Medi diwethaf, roedd ei fam wedi'i gorfodi i fynd â Chwiffiwr i ddosbarthiadau hyfforddi cŵn. Wedi chwe wythnos o drio gweiddi ar Chwiffiwr i aros, eistedd a rholio drosodd, roedd Tudur wedi rhoi'r ffidil yn y to. Roedd Chwiffiwr mor ufudd â sbrowten. Er hynny, y cyfan roedd angen i Chwiffiwr ei wneud oedd nôl pêl – doedd bosib y gallai *unrhyw* gi lwyddo i wneud hynny?

Tudur Budr

Arweiniodd Tudur Chwiffiwr i waelod yr ardd at y bwlch yn y ffens.

'Pêl,' meddai Tudur. 'Chwiffiwr, dos i nôl y bêl!'

Pwyntiodd i gyfeiriad yr ardd drws nesaf. Neidiodd Chwiffiwr am ei law, yn meddwl mai gêm oedd y cyfan.

Ochneidiodd Darren. 'Rwyt ti'n gwastraffu dy amser! Cer i'w nôl hi dy hun.'

Tudur Budr

'A brysia cyn i rywun ddod allan o'r tŷ,' meddai Eifion ar binnau.

'Gall Chwiffiwr wneud hyn,' mynnodd Tudur. 'Gwyliwch hyn.'

Edrychodd o'i amgylch a dod o hyd i ddarn o bren. 'Dal hwn, Chwiffiwr! Dal hwn!' llefodd, gan daflu'r pren â'i holl nerth. Cyfarthodd Chwiffiwr cyn rasio ar ei ôl. Eiliadau'n ddiweddarach roedd yn ei ôl a'r darn pren rhwng ei ddannedd. Gollyngodd hwnnw wrth draed Tudur a chyfarth yn llawn cyffro.

'Chi'n gweld? Ddwedais i!' meddai Tudur.

'Do,' meddai Darren. 'Pan fydd angen rhywun i nôl darnau o bren i ni, byddwn ni'n gwybod pwy i'w holi.'

'Mae Darren yn iawn,' cytunodd Eifion. 'Pêl droed yw hi. Fydd Chwiffiwr ddim hyd yn oed yn gallu ei chodi i'w geg.'

Tudur Budr

'Ydych chi isio bet?' holodd Tudur.
Arweiniodd Chwiffiwr at y ffens unwaith
eto a'i helpu i wasgu drwy'r twll. 'Dos i nôl y
bêl, dyna gi bach da,' sibrydodd.

Rhedodd Chwiffiwr i ffwrdd a diflannu i
ganol clawdd yr ardd drws nesaf.

'Wnaiff hyn byth weithio,' meddai Darren.

'Dim gobaith,' ychwanegodd Eifion.

'Arhoswch chi,' meddai Tudur. 'Mae'n
ddoethach nag yr y'ch chi'n ei feddwl.'

Daeth siffrwd o'r clawdd
ac yna sŵn pitran-patran
pawennau. Gwibiodd
Chwiffiwr drwy'r twll
yn y ffens a gollwng
rhywbeth wrth draed
Tudur, dan ysgwyd ei gynffon.

'Gwych,' cwynodd Darren.
'Darn arall o bren.'

PENNOD 3

Doedd gan Tudur ddim dewis – byddai'n
rhaid iddo sleifio drws nesaf ei hun. Roedden
nhw wedi gwastraffu digon o amser yn barod.
Gallai rhywun ddod allan o'r tŷ unrhyw eiliad
a byddai wedi canu arno wedyn.

'Sut ydw i'n edrych?' gofynnodd.

'Budr,' atebodd Eifion.

Roedd Tudur wedi rhwbio baw dros ei

Tudur Budr

wyneb fel na fyddai mor hawdd i'w weld.
Roedd hynny'n gweithio o hyd mewn
ffilmiau antur.

'Cadwch chi lygad ar y tŷ,' gorchmynnodd.
'Os daw 'na rywun, rhowch yr arwydd.'

Nodiodd y ddau arall eu pennau.

Gwthiodd Tudur ei gorff drwy'r bwlch yn
y ffens. Unwaith iddo gyrraedd gardd drws
nesa, swatiodd yng nghanol y llwyni a'i galon
yn curo fel drwm. Doedd dim golwg o'r
gelyn. Gallai weld y tŷ gwydr – ond roedd
yn rhaid iddo groesi'r lawnt i'w gyrraedd.

Llusgodd ei hun draw ar ei fol, gan fynd
heibio delw o angel bach tew. Hanner ffordd ar
draws y lawnt, rhewodd yn ei unfan. Roedd
rhywun yn dod! Eiliadau'n ddiweddarach
ymddangosodd Mrs Melys a chwpanaid
stemllyd o goffi yn ei llaw. Edrychodd Tudur
o'i amgylch mewn panig. Rholiodd yn ei ôl

Tudur Budr

a chyrcydu y tu ôl i'r delw – yr unig guddfan oedd ar gael. Gydag unrhyw lwc byddai Mrs Melys yn mynd 'nôl i'r tŷ.

Yn hytrach na hynny daeth i lawr y grisiau a setlo ar fainc. Pwysodd Tudur ei ben yn erbyn pen-ôl y delw. Beth nesaf? Roedd wedi'i gornelu! Petai Mrs Melys yn codi ei phen o'i chylchgrawn byddai'n sylwi ar y twll yn y tŷ gwydr.

Tudur Budr

Edrychodd Tudur i gyfeiriad Darren ac Eifion
a oedd yn sbecian drwy'r ffens.

'GWNEWCH RYWBETH!' meimiodd.

Gwgodd Darren.

'GWNEWCH RYWBETH! UNRHYW
BETH!' meimiodd Tudur eilwaith.

Ceisiodd feddwl. Beth allai dynnu sylw
Mrs Melys fel y gallai ddianc? Daeargryn?
Ymosodiad gan fodau arallfydol? Beth oedd
y siawns y byddai hynny'n digwydd? Yna
cofiodd – Chwiffiwr! Roedd Mrs Melys yn
gwylltio'n gacwn pan fyddai hwnnw'n dod
i'w gardd hi.

Amneidiodd Tudur ar ei ffrindiau.
Gwthiodd ei dafod o'i geg ac anadlu fel ci.
Syllodd y ddau arall yn syn arno.

'Beth mae'n wneud?' sibrydodd Eifion.

Tudur Budr

'Dim syniad,' meddai Darren. 'Efallai'i fod o'n teimlo'n sâl.'

Cosodd Tudur ei glust ac esgus ysgwyd ei gynffon.

'Ydy o'n iawn?' holodd Eifion.

'Os wyt ti'n gofyn i mi, mae wedi mynd yn wirion bost,' meddai Darren.

Tudur Budr

Gallai Tudur fod wedi bod yn sownd yno am byth oni bai fod Arianrhod wedi dod allan o'r tŷ. 'Mam! Ble mae'r bisgedi siocled?' galwodd.

Ochneidiodd Mrs Melys yn drwm. 'Cha' i ddim pum munud o heddwch? Edrych yn y cwpwrdd.'

'Rwy wedi. Does dim byd yno!' cwynodd Arianrhod.

Cododd Mrs Melys ar ei thraed gydag ochenaid arall a cherdded i gyfeiriad y tŷ. Caeodd y drws cefn yn glep. Arhosodd Tudur ddim eiliad arall. Sgrialodd drwy'r llwyni a saethu drwy'r twll yn y ffens.

'Wel?' meddai Darren. 'Gefaist ti'r bêl?'

'Dwyt ti ddim o ddifri,' meddai Tudur a'i wynt yn ei ddwrn. 'Dw i BYTH am wneud hynny eto!'

PENNOD 4

Roedden nhw dros eu pennau a'u clustiau
mewn trwbwl. Yn hwyr neu'n hwyrach,
byddai Mrs Melys yn sylwi ar y twll yn y tŷ
gwydr a'r ffenest wedi malu'n deilchion.

'La-la-la-la laaaa . . .' atseiniodd y llais
main o ochr arall y ffens. Arianrhod! Roedd
hi wedi dod allan eto. Efallai y gallai hi helpu.
Roedd Arianrhod mewn cariad â Tudur ac

Tudur Budr

yn dweud wrth bawb mai fo oedd ei chariad hi. Fel arfer, byddai Tudur yn ei hosgoi hi fel bath oer, ond nid heddiw – hi oedd eu hunig obaith. Cerddodd Tudur draw at y ffens.

'Psst! Arianrhod!' hisiodd.

'Ti sydd yna, Tudur?' holodd Arianrhod.

'Wrth gwrs mai fi sydd yma. Gwranda, mae arna i angen dy help di. Mae'n bwysig,' sibrydodd Tudur.

Nodiodd Arianrhod ei phen yn ddifrifol. 'Edrych am olion traed deinosoriaid ydyn ni?'

'Ddim y tro yma,' meddai Tudur. 'Weli di'r tŷ gwydr?'

Trodd Arianrhod i edrych ac yna ebychodd. 'O! Mae rhywun wedi torri ffenest!'

'Do . . . Paid â phoeni am hynny,' meddai Tudur. 'Mae yna bêl droed yn y tŷ gwydr a dwi eisiau i ti ei nôl hi i mi, iawn?'

Tudur Budr

Gwgodd Arianrhod. 'Dy bêl di yw hi?'

'Ie,' meddai Tudur.

'A dweud y gwir, fi sydd biau hi,' meddai Darren, 'ond Tudur giciodd hi dros y ffens.'

'Dyna sut y gwnest ti dorri'r ffenest?' gofynnodd Arianrhod yn syn.

'Gwranda, paid â phoeni am y ffenest,' meddai Tudur. 'Y cyfan sydd angen i ti wneud yw mynd i chwilio am y bêl. Mae'n *bwysig* ein bod ni'n ei chael hi 'nôl.'

Meddyliodd Arianrhod yn dawel am dipyn. 'Beth ga' *i*?' meddai o'r diwedd.

Rholiodd Tudur ei lygaid ar ei ffrindiau. Dylai wybod na fyddai unrhyw beth yn syml gydag Arianrhod. Yn ffodus, roedden nhw wedi bod i'r siop y bore hwnnw.

'Fe gei di neidr jeli,' meddai. 'Fy un olaf i hefyd.'

'Ble mae hi?' holodd Arianrhod.

Tudur Budr

Gwthiodd Tudur y neidr drwy'r hollt yn y ffens. Cydiodd Arianrhod ynddi a chnoi'r pen oddi ar gorff y neidr.

'Beth arall?' meddai, dan gnoi.

'Beth wyt ti'n feddwl, beth arall? Dyna fy neidr jeli ola' i!' cwynodd Tudur.

'Dwi'n gwybod hynny, ond dwi wedi'i bwyta hi rŵan,' meddai Arianrhod.

Crensiodd Tudur ei ddannedd. Dwyn oedd peth fel hyn. Ond os oedd angen y bêl arnyn nhw doedd ganddyn nhw ddim dewis arall. Estynnodd ei law i gyfeiriad Darren ac Eifion, a rhoddodd y ddau eu melysion hwythau iddo'n groes i'r graen.

Tudur Budr

Derbyniodd Arianrhod ddau wm cnoi a hanner lolipop.

'Wnei di nôl y bêl *rŵan?*' gofynnodd Tudur.

'O'r gorau!' canodd Arianrhod, gan ddawnsio i gyfeiriad y tŷ gwydr.

Funud yn ddiweddarach, gallai'r tri glywed sŵn pêl yn bownsio ar y lawnt.

'Gwych,' galwodd Tudur. 'Brysia!'

BOING, BOING, BOING! Dal i fownsio wnaeth y bêl.

'Tafla hi drosodd!' llefodd Tudur yn ddiamynedd. 'Fe wnest ti addo!'

Ysgydwodd Arianrhod ei phen. 'Fe wnes i addo ei nôl hi, ond wnes i ddim dweud y byddwn i'n ei rhoi hi 'nôl i chi.'

Daliodd ati i fownsio'r bêl – roedd hi wedi breuddwydio am fod yn berchen ar bêl.

Tudur Budr

Allai Tudur ddim credu'r peth. Roedd
Arianrhod wedi eu twyllo. Wedi eu twyllo i
roi neidr jeli iddi hi – a hynny am ddim byd.

'ARIANRHOD!'

Stopiodd y bownsio'n sydyn. Roedd
Mrs Melys 'nôl. Aeth Tudur a'i ffrindiau ar eu
cwrcwd y tu ôl i'r ffens er mwyn ei hosgoi.

'Arianrhod, ble gefaist ti'r bêl 'ma?' holodd.

Ddywedodd Arianrhod ddim gair. Petai
hi'n cyfaddef nad ei phêl hi oedd hi, byddai'n
rhaid iddi ei rhoi 'nôl i Tudur.

Brasgamodd Mrs Melys i lawr yr ardd.
'Rwyt ti'n gwybod beth ydw i'n meddwl o
beli,' meddai'n wyllt. 'Mae pethau'n siŵr o
gael eu torri. Os nad wyt ti'n . . .' aeth yn
fud o gael cip ar y twll yn y tŷ gwydr.

'ARIANRHOD!' sgrechiodd.

Tudur Budr

'Ond nid fi wnaeth . . .' cwynodd
Arianrhod.

'Paid â phalu celwyddau!'
chwyrnodd Mrs Melys.
'Rho'r bêl 'na i mi ar
unwaith – ac i dy
stafell wely,
y funud 'ma!'

Tudur Budr

Crynodd gwefus isaf Arianrhod. Gollyngodd
y bêl a rhuthro i'r tŷ, gan grio bob cam.

'WAAAAAAA!'

Cydiodd Mrs Melys yn y bêl fwdlyd. Hen
beth budr! Taflodd hi dros ei hysgwydd cyn
brasgamu 'nôl i'r tŷ.

BWMP!

Glaniodd y bêl dros y ffens gan fownsio
ddwywaith. Rhythodd Tudur arni'n geg-
agored.

'Mawredd! Fe ddaeth hi 'nôl!' meddai.

'A dy'n ni ddim mewn trwbwl,' meddai
Eifion. 'Mae hi'n meddwl mai Arianrhod
wnaeth!'

Cododd Tudur y bêl droed a'i throelli ar
ei fys. 'Dewch i ni orffen y gêm,' meddai.
'Y nesaf i sgorio gôl fydd yr enillydd!'

PENNOD 1

Newydd gyrraedd adref o'r ysgol roedd
Tudur. Fel pob dydd Gwener arall, roedd
Nain wedi galw heibio am baned o de.

'Beth yw hwn, Tudur? Roedd yn dy boced
di,' holodd Mam.

'O, ie,' meddai Tudur. 'Llythyr o'r ysgol.
Ro'n i ar fin ei roi i ti.'

Darllenodd Mam y llythyr yn uchel.

'Gwych!' meddai Nain. 'Rwy wrth fy modd â bingo! Gawn ni fynd?'

Ysgydwodd Mam ei phen. 'Allwn ni ddim mynd nos Sadwrn, gan ein bod ni'n mynd â Siwsi i'w sioe ddawnsio. Ond mi gewch chi fynd.'

'Beth? Ar fy mhen fy hun?' meddai Nain.

'Ewch â Tudur gyda chi, gewch chi sbort,' awgrymodd Mam.

'FI? Pam fi?' holodd Tudur.

Tudur Budr

'Dwi'n siŵr y bydd 'na blant eraill yno,' meddai Mam. 'Mi fydd yn hwyl.'

'Ddim os mai yn yr ysgol mae'r bingo,' cwynodd Tudur. Roedd hi'n ddigon drwg gorfod mynd yno drwy'r wythnos, heb sôn am gael ei lusgo yno ar nos Sadwrn! Ac wedi'r cwbl, peth i hen bobl oedd bingo. Pam na fyddai'r ysgol yn trefnu rhywbeth y byddai *o'n* ei fwynhau – fel reslo mwd? 'Mi fydd o'n ddiflas!' gwgodd.

'Na fydd,' meddai Nain. 'Mae bingo'n gyffrous iawn.'

'Dim ond os ydych chi dros gan mlwydd oed,' meddai Tudur.

'Gall unrhyw un chwarae,' eglurodd Nain. 'Mae pawb yn cael cerdyn bingo a'r hyn sydd angen ei wneud yw croesi'r rhifau sydd ar y cerdyn wrth iddyn nhw gael eu galw. Y cyntaf i lwyddo sy'n ennill!'

Tudur Budr

Tynnu stumiau gwirion wnaeth Tudur. Roedd hyn yn swnio mor gyffrous â gosod y bwrdd.

'Pam na cha' i aros adre a gwylio'r teledu?' holodd.

'Plesia dy hun,' meddai Nain. 'Ond fydda i ddim yn rhannu'r gwobrau.'

Agorodd llygaid Tudur yn llydan. 'Gwobrau?'

'Wrth gwrs,' meddai Nain. 'Fedrwch chi ddim cael bingo heb wobrau.'

'Pa fath o wobrau?'

Cododd Nain ei hysgwyddau. 'Pob math o bethau – teganau, siocled, setiau teledu o bosib . . .'

'TELEDU?' bloeddiodd Tudur. Roedden nhw wir angen teledu newydd sbon gyda sgrin anhygoel o lydan. Roedd eu teledu nhw mor fach roedd angen chwyddwydr i'w wylio!

'Paid â chodi dy obeithion,' meddai Mam. 'Dim ond noson bingo yn yr ysgol yw hi cofia.'

Tudur Budr

'Bydd pitsa am ddim yno hefyd,' meddai Nain. 'Mae'n dweud hynny yn y llythyr.

Pitsa am ddim? Dyna'r penderfyniad wedi'i wneud. Doedd Tudur yn siŵr ddim am fethu noson fel hon!

PENNOD 2

Roedden nhw'n hwyr yn cyrraedd nos
Sadwrn, yn bennaf am fod Nain wedi
treulio tua chwe awr yn paratoi. Roedd
neuadd yr ysgol dan ei sang erbyn iddyn
nhw gyrraedd. Roedd byrddau a chadeiriau
wedi eu gosod i wynebu llwyfan bychan
yn y blaen. Er mawr siom i Tudur, doedd
dim llawer o seddi gwag ar ôl. Gwelodd

Tudur Budr

Darren ac Eifion ond roedden nhw gyda'u teuluoedd.

'Beth am y bwrdd acw? Mae yna gadeiriau gwag gyda'r teulu sydd yno,' meddai Nain dan bwyntio.

Ebychodd Tudur. 'Dim gobaith! Dw i ddim am eistedd gyda Dyfan Gwybod-y-Cyfan!'

'Fydd dim rhaid i ti ddweud gair wrtho,' meddai Nain. 'Wel, does dim dewis arall.'

Dilynodd Tudur hi cyn disgyn yn drwm i'r gadair wrth ymyl ei hen elyn. Gyda'i Nain roedd Dyfan wedi dod hefyd. Gwisgai honno ffrog aur â'i gwallt wedi'i gasglu'n uchel ar ei phen fel hufen iâ mewn côn. Roedd hi'n edrych fel petai wedi dod i gael swper gyda'r frenhines, meddyliodd Tudur.

'Ddim yn eistedd gyda dy ffrindiau?' mentrodd Dyfan.

Tudur Budr

'Na, yn anffodus mae'n rhaid i mi eistedd wrth dy ymyl di,' ochneidiodd Tudur.

Pinsiodd Dyfan ei drwyn. 'Pww! Mi allet ti fod wedi cael bath,' sniffiodd.

'Mi allet ti fod wedi aros adre,' atebodd Tudur yn swta gan droi ei gefn ato.

Gyferbyn roedd y ddwy nain yn dod i adnabod ei gilydd yn well.

'Hyfryd eich cyfarfod chi,' meddai Nain Dyfan. 'Eurwen ydw i.'

'Dot ydw i,' meddai Nain. 'Ydych chi wedi chwarae bingo o'r blaen?'

'O, dwi ddim yn meddwl hynny rhywsut,' wfftiodd Eurwen.

'Mae Jini a finnau'n mynd bob nos Fercher,' meddai Nain.

Tudur Budr

'O, hyfryd,' meddai Eurwen gan edrych i lawr ei thrwyn.

Rholiodd Tudur ei lygaid. Gallai weld fod heno am fod yn noson hir.

Tudur Budr

Eisteddodd Miss Jones, trefnydd y noson, ar y gadair ar y llwyfan. Ei gwaith hi oedd galw'r rhifau. O'i blaen, roedd cawell crwn yn llawn o beli lliwgar wedi eu rhifo. Ar un ochr iddi roedd bwrdd yn llawn gwobrau. Craffodd Tudur arnyn nhw'n llawn diddordeb. Roedd yno fasged bicnic (diflas), tegell (diflas), sychwr gwallt (diflas iawn) a . . . bu bron i Tudur neidio o'i gadair – sgwter arian!

Roedd wedi bod yn swnian ar ei rieni i brynu sgwter yn union fel hwn iddo ers y Nadolig. Roedd gan Eifion un, a Carwyn Cefnog hefyd (a'i enw wedi'i

Tudur Budr

sgrifennu arno mewn llythrennau aur).
Petai ganddo yntau sgwter, gallai ddysgu
triciau – neidio, troelli, tin-dros-ben.
Fo fyddai Seren Styntio enwocaf y byd –
dim ond iddo ennill y sgwter. Edrychodd
o'i amgylch. Beth petai rhywun arall yn cael
eu bachau arno o'i flaen?

Sibrydodd Dyfan yn ei glust.

'Ffansïo rhywbeth?'

'Na, ddim felly.' Celwydd oedd ateb Tudur.
'Mae'r gwobrau i gyd yn rhai digon diflas.'

'Ydyn, heblaw am un,' gwenodd Dyfan.
'Fe welais i ti'n glafoerio dros y sgwter.'

Gwgodd Tudur. Dylai fod yn fwy gofalus.
'Fyddet ti'n dda i ddim ar sgwter,' meddai.

'A dweud y gwir, dwi wastad wedi bod
eisiau un,' meddai Dyfan.

'Ers pryd?'

'Ers heno,' meddai Dyfan.

Tudur Budr

'Wel, mi gei di anghofio am hynny achos fi fydd piau'r sgwter acw,' rhybuddiodd Tudur.

Crechwenodd Dyfan. 'Ddim os gwna i ei ennill yn gyntaf!'

'Dim gobaith,' wfftiodd Tudur.

'Isio bet?' meddai Dyfan. 'Mae heno am fod yn noson lwcus i mi.'

Gwgodd Tudur. Allai Dyfan ddim reidio sgwter – byth bythoedd. Byddai'n siŵr o redeg dros ei droed ei hun. Yr unig reswm dros fod eisiau un oedd er mwyn gwylltio Tudur. A doedd hynny ddim am ddigwydd. O'r hyn roedd Nain wedi'i ddweud wrtho, doedd dim byd yn haws na bingo! Y cyfan roedd angen iddo'i wneud oedd croesi ambell rif ar gerdyn a byddai'n ennill y sgwter.

Safodd Miss Jones ar ei thraed. Roedd y gêm gyntaf ar fin dechrau.

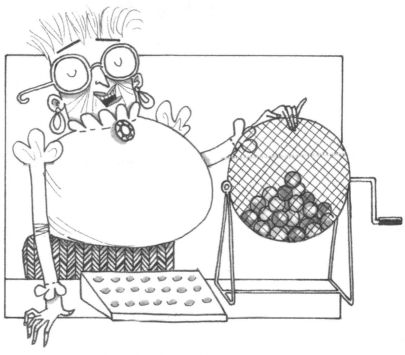

PENNOD 3

'Dwi'n siŵr fod sawl un ohonoch chi wedi chwarae bingo o'r blaen,' meddai Miss Jones. 'Fel y gwyddoch chi, lwc llwyr yw'r gêm yma.'

   'Neu anlwc llwyr yn dy achos di,' mwmiodd Dyfan.

   'Mewn eiliad fe fyddai'n galw'r rhifau,' aeth Miss Jones yn ei blaen. 'Y person cyntaf i groesi'r holl rifau ar eu cerdyn fydd yr enillydd.

Tudur Budr

Bydd y sawl sy'n fuddugol yn cael dod i ddewis un o'n gwobrau gwych o fan hyn.'

Dosbarthwyd y cardiau bingo i bob bwrdd. Astudiodd Tudur y rhesi o rifau.

'Pob lwc, Tudur!' sibrydodd Dyfan. 'Rho wybod os byddi di angen help.' Tynnodd Tudur ei dafod arno.

Trodd Miss Jones yr handlen, gan achosi i'r peli lliwgar neidio o gwmpas y cawell.

CLANC! PLOP! Rholiodd un allan.

'Rhif cyntaf y noson yw'r rhif pedwar!' cyhoeddodd Miss Jones.

Gwibiodd llygaid Tudur drwy'r rhifau ar ei gerdyn bingo. Daria! Dim rhif pedwar. Edrychodd i gyfeiriad Dyfan, a oedd yn dangos mwy o ddiddordeb yn sleifio'i law i fag ei nain er mwyn dwyn siocled.

Tudur Budr

'Www, am lwc!' chwarddodd Eurwen, gan farcio ei cherdyn gyda phensil.

Troellodd y cawell a saethodd pêl arall allan ohono. 'Pedwar a phedwar – pedwar deg pedwar!' llefodd Miss Jones.

Fedrai Tudur ddim deall pam ei bod yn galw'r rhif pedwar ddwywaith eto a hithau wedi'i alw unwaith yn barod; er hynny, doedd ganddo ddim pedwar deg pedwar ar ei gerdyn, chwaith.

Tudur Budr

Aeth y gêm yn ei blaen. Daeth tro ar lwc Tudur. Roedd wedi llwyddo i groesi naw rhif ar ei gerdyn. Dim ond chwech arall a byddai'n ennill.

Cododd Miss Jones y bêl nesaf. 'Dau a chwech – dau ddeg chwech.'

'BINGO!' galwodd rhywun.

Cododd Tudur ei ben. Roedd nain Dyfan ar ei thraed, yn chwifio'i cherdyn yn yr awyr.

Tudur Budr

'Does bosib?' griddfanodd Tudur.

'Alla i ddim credu'r peth,' ebychodd Nain.

'Hen dro, Tudur!' chwarddodd Dyfan.

Gwyliodd Tudur nain Dyfan yn symud i'r blaen wrth i bawb arall guro'u dwylo.

'Mae hynny MOR annheg,' mwmiodd Nain. 'Dyw hi ddim hyd yn oed yn *hoffi* bingo!'

Edrychodd nain Dyfan ar y gwobrau.

Nid y sgwter, plîs nid y sgwter, meddyliodd Tudur.

Roedd llaw Eurwen yn hofran uwch y gwobrau am beth amser – yna cydiodd yn y fasged bicnic a'i chario yn ôl at ei sedd. Ochneidiodd Tudur mewn rhyddhad.

Cyhoeddodd Miss Jones y bydden nhw'n cael egwyl fer ar gyfer cael diod a phitsa.

Tudur Budr

Cafodd Tudur ei hun yn sefyll y tu ôl i Dyfan Gwybod-y-Cyfan yn y ciw.

'Mae dy nain di *mor* lwcus,' meddai Tudur, gan helpu ei hun i ddarn mawr o bitsa.

Gwenodd Dyfan. 'Wyt ti'n meddwl mai lwc yw'r cyfan?'

'Beth arall fyddet ti'n ei alw?' holodd Tudur.

'Sgìl,' atebodd Dyfan. 'Mi fedra i ddweud wrthot ti sut wnaeth hi ennill.'

'Sut?' meddai Tudur.

Edrychodd Dyfan o'i gwmpas cyn dechrau siarad yn dawel. 'Gan fod gen i bŵer dros Miss Jones,' sibrydodd, 'dwi'n gallu rheoli ei meddwl hi.'

Rholiodd Tudur ei lygaid. 'Rwyt ti'n gymaint o gelwyddgi!'

'Dyna beth rwyt ti'n ei feddwl,' broliodd

Tudur Budr

Dylan. 'Fyddi di ddim yn chwerthin pan fydda i'n ennill y gêm nesaf.'

Gwyliodd Tudur ei elyn yn cymryd llond ceg o bitsa caws a madarch. Mae'n palu celwyddau, meddyliodd. Yr unig ffordd y gallai Dyfan reoli meddwl Miss Jones fyddai petai ganddo bwerau hud. A hyd yn oed petai ganddo rai, roedd y peli'n cael eu dewis ar hap. Er hynny, roedd nain Dyfan wedi ennill y gêm gyntaf. Penderfynodd Tudur gadw llygad barcud ar y sinach dauwynebog weddill y noson.

PENNOD 4

Eisteddodd Miss Jones yn ei chadair a dechreuodd y rownd nesaf.

CLIC-CLAC-PLOP! Chwyrlïodd pêl arall allan o'r cawell.

'Chwech a dau – chwe deg dau!' llefodd Miss Jones.

'HWRÊ!' meddai Tudur, gan groesi'r rhif oddi ar ei gerdyn. Edrychodd dros ei

Tudur Budr

ysgwydd i gyfeiriad
Dyfan, a oedd yn
cymryd darn arall o
siocled o fag ei nain.
Doedd o ddim i'w weld yn
talu sylw o gwbl.

'Wyth a phump – wyth
deg pump!' bloeddiodd Miss Jones.

Gwych! Meddyliodd Tudur – dau allan o
ddau. Petai pethau'n mynd ymlaen fel hyn fe
fyddai'n llwyddo i groesi pob un rhif. Byddai
Dyfan yn siŵr o droi'n wyrdd o'i weld yn
ennill y sgwter? Rheoli meddyliau – hy, go
brin! Am foment, bu bron i Dyfan wneud
ffŵl ohono!

Chwyrlïodd y peli cyn disgyn allan. Galwodd
Miss Jones un rhif ar ôl y llall. Roedd Tudur

57

mor gyffrous roedd o'n bownsio yn ei sedd.
Dim ond dau rif arall ac fe fyddai'n ennill! *Naw
neu bedwar deg un*, gweddïodd, a'i lygaid wedi
eu hoelio ar Miss Jones.

PLOP! Daeth y bêl liwgar nesaf allan.
Daliodd Miss Jones hi yn yr awyr.

'Dwy hwyaden fach – dau ddeg a dau!'
cyhoeddodd.

Tudur Budr

'BINGO!' gwaeddodd llais.

Pwysodd Tudur ei ben ar y bwrdd.

Na! Plîs! Unrhyw un ond Dyfan Gwybod-
y-Cyfan!

Safodd Dyfan ar ei draed a churo Tudur yn
ysgafn ar ei gefn. 'Fel y dywedais i, Tudur,
rheoli'r meddwl!' gwenodd.

Fedrai Tudur ddim dioddef edrych.
Edrychodd Miss Jones dros y cerdyn
buddugol ac arwain Dyfan draw at y
bwrdd i ddewis gwobr. Gwnaeth Dyfan
fôr a mynydd o'r peth a chymryd ei amser,
yn mwynhau pob eiliad o artaith Tudur.
Edrychodd ar y tegell a chodi'r sychwr
gwallt. Yn y diwedd, fe ddewisodd ei wobr –
y sgwter.

'Dyw hyn ddim yn deg!' cwynodd Tudur.

Tudur Budr

Ysgydwodd Nain ei phen. 'Yn hollol!' meddai. 'Go brin y gallai'r *ddau* ennill!'

Eisteddodd Tudur ar flaen ei sedd a meddwl. Roedd fel petai Dyfan yn *gwybod* pa rifau oedd am gael eu galw. Ond doedd hynny ddim bod yn bosib . . . yn nag oedd? Sylwodd Tudur fod Dyfan wedi gadael rhywbeth ar ei gadair – bag ei nain. Roedd hithau wedi sylwi hefyd a cheisiodd gydio ynddo. Ond roedd Tudur yn gynt na hi.

Tudur Budr

'Hei, rho fo yn ôl i mi!' galwodd.

Aros funud, beth oedd hwn? Gwelodd Tudur ddarnau papur gyda sticeri rhifau arnyn nhw wedi eu cuddio ynghanol y siocled. Neidiodd ar ei draed.

'MAE O WEDI TWYLLO!' gwaeddodd.

'TUDUR!' cyfarthodd Miss Jones. 'EISTEDD I LAWR!'

'Ond mae o, Miss!' meddai Tudur. 'Mae o wedi bod yn gludo'r rhifau ar ei gerdyn.'

'Naddo, wir!' nadodd Dyfan, gan droi'n binc.

Safodd nain Dyfan ar ei thraed.

'Wel, wir! Mae rhai pobl yn gollwyr gwael.'

Tudur Budr

'Os nad ydych chi'n fy nghredu i,
edrychwch yn y bag!' meddai Tudur, gan ei
ddal yn yr awyr.

Roedd Miss Jones yn prysur golli ei
hamynedd. 'Gad i mi weld,' meddai.

Aeth Tudur at y llwyfan a rhoi'r bag iddi.
Edrychodd Miss Jones ar y tudalennau o
sticeri rhifau, ac yna ar gerdyn buddugol
Dyfan. Wrth edrych yn fanylach arno,
gwelodd ei bod yn bosib pilio nifer o'r rhifau
oddi ar y cerdyn. Gwasgodd y cerdyn yn
dynn yn ei dwrn.

'DYFAN!' taranodd.

Crio wnaeth Dyfan. 'Nid fy mai i oedd o!'

'Bai pwy felly?' holodd Miss Jones.

'Nain,' nadodd Dyfan, 'ei syniad hi oedd
y cyfan!'

Ochneidiodd pobl a throi eu pennau.

Tudur Budr

'Paid â phalu celwyddau!' dwrdiodd Eurwen.

'Dw i ddim!' crawciodd Dyfan. 'Ddwedoch chi na fyddai neb yn dod i wybod.'

'DYNA DDIGON!' rhuodd Miss Jones. 'Rhag eich cywilydd chi eich dau! Rhowch y gwobrau yn ôl y funud 'ma.'

Tudur Budr

Ufuddhau wnaeth Dyfan a'i nain. Wrth
iddyn nhw adael y llwyfan roedd rhesi o
wynebau blin yn rhythu arnyn nhw.

'BWW! TWYLLWYR!' galwodd rhywun.
Ymunodd rhywrai eraill yn y gweiddi.

Arhosodd Dyfan a'i nain ddim i wrando
ar fwy. Dihangodd y ddau o'r neuadd, gan
gau'r drws yn glep ar eu hôl.

Ysgydwodd Miss Jones ei phen. 'Wel, Tudur,'
meddai. 'Am unwaith fe ddylwn i ddiolch i ti
am dorri ar fy nhraws.'

'Mae'n iawn,' meddai Tudur, 'ond beth am
eu gwobrau nhw?'

Ystyriodd Miss Jones y peth am foment.
Mi fedrai hi eu rhoi nhw 'nôl ar y bwrdd,
ond doedd yna ond hanner awr o'r bingo
ar ôl a byddai hynny'n golygu fod ganddyn

Tudur Budr

nhw wobrau dros ben. Byddai'n drueni eu gwastraffu. 'Mae'n debyg y dylai *rhywun* eu cael nhw,' meddai. 'Dwyt ti ddim yn digwydd hoffi sgwteri wyt ti?'

'EU HOFFI?' ebychodd Tudur.

Prin y gallai gredu ei lwc – ac i feddwl ei fod yn agos iawn at beidio â dod heno! Roedd yn ysu i gael gwibio i'r ysgol ar ei sgwter newydd fore dydd Llun. Mae'n debyg mai Nain oedd yn iawn wedi'r cwbl – bingo oedd y gêm orau yn y byd!

Tudur Budr

PENNOD 1

Gwyliodd Tudur y bêl golff yn rholio ar hyd y lawnt ac i'r cwpan bach du.

HWWWWI-CLIC-PLONC!

Poerwyd y bêl allan yn ei hôl.

'Waw!' llefodd Tudur. 'Ga' i dro?'

Ysgydwodd Dad ei ben. 'Rhywdro eto, efallai,' meddai. Yn nwylo Tudur, byddai ffon golff yn arf peryglus iawn.

Tudur Budr

'Plîs?' plediodd Tudur. 'Dim ond un tro bach!'

Ochneidiodd Dad. 'O'r gorau, ond er mwyn y nefoedd, bydd yn ofalus.'

Cydiodd Tudur yn y ffon ac anelu'n ofalus.

'Araf,' rhybuddiodd Dad.

Swingiodd Tudur y ffon golff.

THWAC!

Hedfanodd y bêl fel bwled a bownsio oddi ar wal yr ardd.

'AAA!' Aeth Dad ar ei gwrcwd mewn pryd wrth i'r bêl wibio heibio uwch ei ben a chladdu ei hun yn y clawdd.

'HA, HA! Ergyd wych, Tudur!' Trodd Tudur i weld Carwyn Cefnog yn dod allan o gar sgleiniog ei dad. Roedd Carwyn yn mynd o dan groen Tudur. Roedd ganddo gymaint o feddwl ohono'i hun.

'Beth wyt *ti* eisiau?' gofynnodd Tudur.

Tudur Budr

'O, dim ond digwydd pasio,' meddai Carwyn. 'A dweud y gwir ry'n ni wedi bod yn chwarae yng nghlwb golff Dad.'

Rhoddodd Mr Cefnog ei law ar ysgwydd ei fab. 'Dwi'n aelod ym Mharc Pencae,' meddai. 'Ar y pwyllgor, a dweud y gwir.'

Rholiodd Dad ei lygaid. 'Peidiwch â sôn.'

'Mae Dad yn *ardderchog* am chwarae golff,' broliodd Carwyn. 'Mae wedi ennill llwyth o dlysau.'

Tudur Budr

Chwarddodd Mr Cefnog. 'Dw i'n eitha da, er mai fi sy'n dweud.' Trodd at Dad. 'Do'n i ddim yn deall eich bod chi'n chwarae, 'rhen ddyn.'

'O ydw,' meddai Dad. 'Dw i ddim yn ddrwg – er mai fi sy'n dweud.'

'Wir?' gwenodd Mr Cefnog, gan fwytho'i fwstàs. 'Wel, beth am gael gêm rywdro?'

'Unrhyw dro sy'n gyfleus i chi,' meddai Dad.

'Gwych. Dydd Sul nesaf amdani felly?'

'Iawn.'

Doedd Tudur ddim yn gallu credu ei glustiau. Gêm golff yn erbyn Mr Cefnog – roedd hynny'n gofyn am drwbwl. Ac eto, roedd yn ysu i fod yn rhan o'r hwyl. 'Ga i ddod?' holodd.

'Wrth gwrs,' meddai Mr Cefnog. 'Fe gaiff y bechgyn fod yn gadi i ni.'

Tudur Budr

'Iawn,' meddai Dad.

'Grêt,' meddai Tudur, wrth feddwl tybed beth oedd cadi.

Cerddodd Mr Cefnog yn hamddenol at ei gar. 'Gyda llaw, cyngor bach i chi,' meddai wrth Dad. 'Peidiwch â chodi eich pen wrth daro'r bêl.'

'Hwyl, Tudur! Ry'ch chi'n *siŵr* o golli,' gwawdiodd Carwyn, cyn tynnu ei dafod.

'Cer i grafu – y penbwl!' meddai Tudur.

Gyrrodd Mr Cefnog i ffwrdd â'i deiars yn sgrechian wrth fynd.

Tudur Budr

Gwgodd Tudur ar ei dad. 'Ro'n i'n meddwl dy fod ti'n ei gasáu?' meddai.

'Meurig Cefnog? Methu diodde'r dyn,' meddai Dad.

'Felly pam wyt ti am chwarae golff gydag o?'

'Er mwyn ei guro, siŵr iawn,' meddai Dad. 'Mae'n hen bryd i mi ddysgu gwers i'r brolgi balch 'na.'

PENNOD 2

Wrth fwyta swper, dechreuodd Tudur sôn am bwy welon nhw'r bore hwnnw.

'Meurig Cefnog?' ochneidiodd Mam. 'Beth oedd ganddo fo i'w ddweud?'

'Dim,' meddai Dad.

'Eisiau chwarae golff yn erbyn Dad oedd o,' esboniodd Tudur.

Rhoddodd Siwsi'r gorau i gnoi ei bwyd. Aeth llygaid Mam yn fach.

75

Tudur Budr

'Dy'ch chi ddim o ddifri?' meddai.

Cododd Dad ei ysgwyddau. 'Dim ond gêm yw hi.'

'O ie!' gwawdiodd Siwsi. 'Dyna beth ddywedaist ti'r tro diwetha!'

Doedd Tudur ddim wedi anghofio'r tro diwethaf. Ddiwrnod mabolgampau'r ysgol, roedd y ddau dad wedi rhedeg yn y ras 'Rhiant a Phlentyn', gan achosi tipyn o helynt.

Tudur Budr

'Fe wnaeth fy herio i,' meddai Dad. 'Rwyt ti'n gwybod cymaint o ffŵl ffroenuchel yw Meurig Cefnog!'

'Felly, anwybydda fo,' meddai Mam. 'Wir, ry'ch chi'n waeth na dau blentyn.'

'Fedrwn i ddim gwrthod yn hawdd iawn. Fe welodd fi'n ymarfer,' dadleuodd Dad.

'Am y tro cyntaf ers blynyddoedd,' wfftiodd Mam.'

Sychodd Tudur ei drwyn. 'Dwi'n dda am chwarae golff,' meddai.

'Dwyt ti erioed wedi chwarae,' heriodd Siwsi.

'Do! Ar ein gwyliau, cofio?'

Rholiodd Siwsi ei llygaid. 'Golff Gwallgo' oedd hwnnw'r lembo.'

'Golff yw golff,' meddai Tudur. 'Ac mae hwnnw'n llawer anoddach gan fod yno lot o gestyll ac ati yn y ffordd.'

Tudur Budr

Ysgydwodd Dad ei ben. 'Golff *go iawn*
fydd hwn, Tudur. Felly, fel cadi, bydd yn rhaid
i ti fihafio.'

Chwarddodd Siwsi. 'Tudur? Bihafio?'

'Mi fydda i'n well o lawer na ti,' meddai
Tudur. 'Ond, beth yw cadi?'

'Math o helpwr,' eglurodd Dad. 'Byddi di'n
cario 'mag golff i ac yn estyn ffon i mi pan
fydda i angen un.'

Gwgodd Tudur. 'Cha' i ddim potio?'

'Pytio yw'r term, Tudur,' ochneidiodd
Dad. 'A na, chei di ddim. Dy waith di fydd
gwneud fel ydw i'n ei ddweud.'

Gwthiodd Tudur bysen o amgylch ei
blât. Doedd dim diben mynd os nad oedd
o'n cael chwarae. Roedd eisiau curo'r teulu
Cefnog cymaint â'i dad neu byddai Carwyn
yn brolio am fisoedd.

PENNOD 3

Rhythodd Tudur drwy'r ffenest wrth i'r car
ddod i stop yn y maes parcio. Roedd Carwyn
a'i dad yn aros tu allan i'r Clwb Golff, yn
gwisgo'r un dillad â'i gilydd – siwmper goch,
trywsus melyn a chap golff gwyn.

Roedd bag golff Mr Cefnog bron cyn
daled ag yntau ac wedi'i stwffio'n llawn o
ffyn golff newydd sbon, sgleiniog. Wrth ymyl

hwnnw, edrychai bag Dad fel petai wedi dod o siop elusen.

'Bore da!' cyfarchodd Mr Cefnog. 'Beth am i ni gael bet fach, er mwyn gwneud yr holl beth ychydig yn fwy diddorol? Ugain punt?'

'Beth am ddeg ar hugain,' cynigiodd Dad.

Chwarddodd Mr Cefnog. 'Popeth yn iawn, os y'ch hi'n hapus i golli cymaint â hynny o'ch arian!'

Tri deg punt? Roedd Tudur yn gegagored. Roedd hynny gymaint, bron, â blwyddyn gyfan o arian poced! Roedd yn gobeithio'n wir fod Dad yn gwybod beth roedd yn ei wneud.

Gosododd Mr Cefnog ei fag ar gefn bygi golff cyn dringo i'r sedd wrth ymyl Carwyn. 'Welwn ni chi wrth y twll cyntaf!' meddai.

Nodiodd Dad ei ben. 'O ble mae nôl y bygi?'

'O, soniais i ddim 'rhen ddyn? Hwn yw'r un olaf,' gwenodd Mr Cefnog. 'Ond peidiwch â

phoeni, mae'n siŵr y gwnewch chi fwynhau'r
awyr iach!' Cododd ei law cyn gyrru i ffwrdd.

'Dydy hyn ddim yn deg!' cwynodd Tudur.
'Pam eu bod nhw'n cael bygi a ninnau ddim?'

'Mae'n iachach i ni gerdded,' poerodd Dad
y geiriau o'i geg. 'Tyrd â'r troli.'

Llusgodd Tudur y troli ar ei ôl. Roedd
ganddo un olwyn wichlyd. Ar fwy nag un
achlysur roedd o wedi'i
dynnu'n rhy isel gan
achosi i'r ffyn ddisgyn
i bobman.

Tudur Budr

Roedd Carwyn a Mr Cefnog yn aros amdanyn nhw wrth y twll cyntaf. Rhythodd Tudur.

'Ble mae'r cwrs golff?' holodd.

'Dyma fo,' atebodd Dad.

'Ond dim ond gwair a choed sydd yma! Fedra i ddim hyd yn oed gweld y twll!' cwynodd Tudur.

Pwyntiodd Dad i gyfeiriad baner goch yn y pellter.

'Mae hynny filltiroedd i ffwrdd!' llefodd Tudur. 'Byddwn ni yma am oes!'

Tagodd Mr Cefnog er mwyn clirio ei wddf. 'Beth am ddechrau chwarae?'

'Mae'n ddrwg gen i,' meddai Dad. 'Ymlaen â ni.'

Safodd Mr Cefnog uwchben ei bêl. Swingiodd y ffon golff yn ôl.

PLINC!

Tudur Budr

Hedfanodd y bêl drwy'r awyr yn syth i gyfeiriad y faner.

Dad oedd nesaf. Gosododd ei bêl, sefyll drosti a siglo'i ffon golff. Yna fe chwipiodd yr awyr unwaith neu ddwy.

'Dwi'n siŵr dy fod ti i fod taro'r bêl,' awgrymodd Tudur.

Rhythodd Dad arno. 'Dwi *am* ei tharo hi, unwaith y gwnei di gau dy geg.'

Tudur Budr

PLONC!

Gwyrodd y bêl i'r chwith a diflannu i ganol clwstwr o goed trwchus.

'O, hen dro 'rhen ddyn!' crechwenodd Mr Cefnog. Edrychodd Tudur ar ei dad yn wyllt. Gallai o leiaf fod wedi taro'r bêl yn syth.

Dringodd Carwyn ac eistedd wrth ymyl ei dad yn y bygi golff.

'Welwn ni chi ar y lawnt – os gyrhaeddwch chi yno o gwbl!' gwawdiodd.

Tudur Budr

Erbyn iddyn nhw gyrraedd y lawnt,
roedd coesau Tudur yn brifo. Roedd y ddau
Gefnog yno'n disgwyl amdanyn nhw.

Pytiodd Mr Cefnog ei bêl i'r twll.

'Ni sy'n ennill y twll cyntaf!' dathlodd
Carwyn.

Llanwodd Dad y cerdyn sgôr.

'Tyrd,' meddai wrth Tudur. 'A rho'r gorau i
ollwng y clybiau.'

'Nid fi sydd ar fai – y troli gwirion 'ma
yw'r broblem,' cwynodd Tudur. 'Fyddai
dim rhaid i mi ei lusgo i bobman petai gyda
ni fygi.'

PENNOD 4

Aeth y gêm ymlaen am oriau. Erbyn iddyn
nhw gyrraedd y deuddegfed twll, roedd
Tudur yn teimlo fel petaen nhw wedi bod yn
chwarae ers dyddiau.

Neidiodd Carwyn o'i sedd yn y bygi.
'Ry'ch chi'n lwcus mai dim ond colli o
bedwar twll y'ch chi!' broliodd.

'Pedwar beth?' gofynnodd Tudur.

Tudur Budr

'Pedwar twll, y ffŵl,' meddai Carwyn. 'A dim ond chwe twll arall sydd ar ôl i'w chwarae.'

Chwe twll! Doedd Tudur ddim yn credu y gallai ddioddef hynny. Roedd wedi cerdded tua chan milltir. Wedi brasgamu drwy'r coed, llechu drwy'r llwyni ac wedi camu mewn cors fwdlyd. Roedd y teulu Cefnog, ar y llaw arall, wedi hwylio o amgylch y cwrs yn eu bygi golff. Carwyn oedd wrth y llyw erbyn hyn a gwibiodd i ffwrdd fel petai'n gyrru Ferrari.

Gosododd Mr Cefnog ei bêl ar y ddaear. 'Yr enillydd sy'n taro'n gyntaf, sy'n golygu mai fi sydd i fynd eto fyth,' meddai.

PLINC!

Hyrddiodd y bêl i'r awyr – trawiad perffaith arall i lawr y canol.

Tudur Budr

PLONC!

Gwyrodd pêl Dad i'r chwith cyn diflannu i ganol y gwair tal.

Ebychodd.

'O, diar! Dyw heddiw ddim yn ddiwrnod da i chi,' chwarddodd Mr Cefnog.

Brasgamodd Dad yn flin i chwilio am ei bêl. *Ni sy'n mynd i golli, mae hynny'n bendant,* meddyliodd Tudur. CRASH! Disgynnodd y troli i'r llawr am y canfed tro, gan daflu'r ffyn dros y llawr.

Ochneidiodd Tudur a'i godi ar ei draed. *Aros funud, beth oedd yn y boced flaen?* Llwyth o beli golff! Pam na wnaeth Dad sôn am hyn yn gynt? Gallai fod wedi arbed cymaint o amser!

Tudur Budr

Estynnodd Tudur un o'r peli a'i gollwng ar ddarn o wair. 'Dad! Fan hyn!' galwodd.

Brysiodd Dad yn ôl ato. 'Fy mhêl i yw hon?'

'Wrth gwrs. Dwi newydd ddod o hyd iddi,' meddai Tudur.

Crafodd Dad ei ben. 'Dyna ryfedd, ro'n i'n siŵr iddi fynd draw'r ffordd acw. Ond, wna i ddim cwyno.'

Trawodd y bêl, gan achosi iddi fownsio deirgwaith a rholio ar draws y lawnt.

Roedd Meurig Cefnog yn edrych fel petai ar fin marw o sioc. Pytiodd Dad y bêl yn llwyddiannus gan ennill y twll.

Wrth chwarae'r twll nesaf, roedd Mr Cefnog ar binnau. Cydiodd yn dynn yn ei ffon a'i chodi'n gyflym i'r awyr.

Tudur Budr

'Ai llyn sydd fan acw?' holodd Tudur, gan bwyntio tua'r dde.

Safodd Mr Cefnog yn stond. 'Ro'n i ar fin taro,' bytheiriodd.

'O, mae'n ddrwg gen i, cariwch chi 'mlaen,' meddai Tudur.

Cododd Mr Cefnog ei ffon i'r awyr unwaith eto . . .

'Dim ond meddwl o'n i, oes llynnoedd ar gyrsiau golff fel arfer?' holodd Tudur.

'LLYN YW LLYN!' meddai Mr Cefnog gan rygnu ei ddannedd yr un pryd.

'Beth sy'n digwydd os yw eich pêl chi'n mynd i'r dŵr?' holodd Tudur.

'Mae'n rhaid i ti gymryd tro ychwanegol a

Tudur Budr

chwarae eto,' ysgyrnygodd Mr Cefnog.
'Nawr, wnei di plîs FOD YN DAWEL . . .'

Trawodd Mr Cefnog y bêl. Sbonciodd
honno i'r dde a glanio yn y llyn gyda phlop.

Gwenodd Dad. 'Hen dro 'rhen ddyn!'
meddai.

Roedd Tudur wedi penderfynu nad oedd
diben i golff, ar wahân i roi pobl mewn
tymer ddrwg. Roedd yn sicr wedi cael
effaith felly ar Mr Cefnog. Ar ei dro nesaf,
trawodd y bêl yn erbyn coeden. Wedyn,
cafodd ei orchuddio gan dywod wrth geisio
taro'i bêl o bwll tywod. Pan fethodd un pyt
fe wylltiodd gyda Carwyn am anadlu'n rhy
swnllyd. Tad Tudur enillodd y tri twll nesaf.

Tudur Budr

Pan gyrhaeddon nhw'r twll olaf roedd y sgôr yn gyfartal. Ond doedd Mr Cefnog ddim wedi rhoi'r ffidl yn y to. Trawodd y bêl yn berffaith, gan achosi iddi lanio tua deg cam o'r faner. Glaniodd pêl Dad ychydig yn fyr o'r lawnt.

Edrychodd Carwyn yn falch ar Tudur. Un pyt da a nhw fyddai'r enillwyr. Gwibiodd Carwyn heibio a pharcio'u bygi golff ar y llethr ger y lawnt.

Safodd Mr Cefnog uwch ei bêl.

'Dyma'r pyt i roi pen ar y gêm felly,' meddai'n hunan-foddhaus yr olwg.

Doedd Tudur ddim yn gwylio. 'Mr Cefnog!' meddai.

'Nid nawr!' brathodd Mr Cefnog.

'Ond dwi'n meddwl y dylech chi . . .'

'WNEI DI GAU DY GEG!' rhuodd Mr Cefnog.

Cododd ei ffon i'r awyr yn araf.

Tudur Budr

PLOC!

Rholiodd y bêl yn syth i gyfeiriad y twll. Mae'n debyg y byddai wedi mynd i mewn oni bai am un peth – doedd Carwyn ddim wedi gosod y brêc ar y bygi golff. Roedd hwnnw'n rholio i lawr y llethr tua'r lawnt. Aeth yn gynt gan anelu'n syth i gyfeiriad pêl Mr Cefnog.

'NA! STOPIWCH O!' sgrechiodd Mr Cefnog. 'STOP . . .'

Tudur Budr

CRENSH!

Cafodd y bêl ei gwasgu o dan yr olwyn flaen. Byddai angen rhaw ar Mr Cefnog i'w tharo bellach.

'CARWYN, Y LEMBO!' rhuodd, â'i wyneb yn biws.

Tudur Budr

Ugain munud yn ddiweddarach roedd Tudur a Dad yn mwynhau brecwast canol dydd yn nhŷ bwyta'r clwb golff. Deg punt ar hugain Mr Cefnog oedd yn talu amdano.

'Alla i ddim credu 'mod i wedi ennill,' chwarddodd Dad.

'Dim ond am fod gen ti gadi gwych,' meddai Tudur.

'Digon gwir,' cytunodd Dad. 'Taset ti heb ddod o hyd i'r bêl goll, fe fyddwn i mewn trwbwl mawr.'

'Byddet, felly dyna lwcus i mi edrych yn dy fag di,' meddai Tudur.

Rhoddodd Dad ei fforc i lawr ar y bwrdd. 'Yn fy mag i? Wyt ti'n dweud wrtha' i *nad* honno oedd fy mhêl i?'

'Un ohonyn nhw, ie,' meddai Tudur. 'Fe ddes i o hyd iddi ym mhoced dy fag di.'

Tudur Budr

'Ond nid honno oedd y bêl gollais i?'

'O na,' meddai Tudur. 'Ro'n i wedi rhoi'r gorau i chwilio am honno.'

Ebychodd Dad. 'Ond fedri di ddim newid pêl fel 'na!' meddai. 'Rwyt ti i fod i gymryd tro ychwanegol. TWYLLO YW HYNNY!'

'Ia?' holodd Tudur yn ddiniwed.

'Wel, ia siŵr!'

Codi ei ysgwyddau wnaeth Tudur.

'O wel, hen gêm wirion yw hi, beth bynnag. Mi fwyta i'r sosej 'na os nad wyt ti 'i heisiau hi!'